A wyddoch chi am
Sefydliadau Cymru?

diddorol

rhyfedd

anhygoel

anghredadwy

gwych

Diolch i Zac a Sam Archer a Morgan J. Jones am blannu'r hedyn ar gyfer y gyfres.

Cyhoeddwyd gyntaf yn 2013 gan
Wasg Gomer, Llandysul, Ceredigion, SA44 4JL
www.gomer.co.uk
ISBN 978 1 84851 444 7

Noddwyd gan Lywodraeth Cymru.
Cyhoeddwyd dan nawdd Cynllun Adnoddau Addysgu a Dysgu CBAC.
Argraffwyd a rhwymwyd yng Nghymru gan Wasg Gomer, Llandysul, Ceredigion, SA44 4JL

Dymuna'r cyhoeddwyr ddiolch i'r canlynol am roi caniatâd i atgynhyrchu lluniau yn y llyfr hwn:
Clawr blaen: PhotolibraryWales.com (Keith Morris; David Williams; Nigel McCall) Urdd Gobaith Cymru
Alamy: t. 6 (keith morris), 9 (Mary Evans Picture Library), 10 (Jeff Morgan 01), 11 (Jeff Morgan 08), 16 (epa european pressphoto agency b.v.), 22 (Andrew William Megicks), 24 (Topix), 28 (Jeff Morgan 06), 29 (Richard Iestyn Hughes).
Anne Jones: t. 26, 31.
BBC Cymru Wales: t. 21.
CFfI Capel Iwan: t. 14.
Gardd Fotaneg Genedlaethol Cymru: t. 32.
PhotolibraryWales.com: t. 7 (Keith Morris), 10 (Keith Morris; Glyn Evans), 11 (David Williams; Billy Stock; Peter Lane), 12 (Barri Elford; Keith Morris) 14 (Pierino Algieri), 15 (Keith Morris), 16 (Andrew Orchard), 17 (Mike Dean; Adam Gasson), 20 (Chris Stock; Ken Day), 21 (Keith Morris; David Williams), 23 (Keith Morris; David Williams), 26 (Jeff Morgan), 27 (Keith Morris), 30 (Brian Griffiths; David Williams), 31 (Neil Turner; Dabod Cockayne; Billy Stock; Jeff Morgan), 32 (Nigel McCall).
S4C: t. 20, 21.
Shutterstock: t. 6 (Featureflash; s_buckley), 7 (Deymos), 9, 13, 15, 16 (Becky Stares; Neil Wigmore), 17, 18, 19, 21 (Phil Stafford), 22 (photogolfer), 23 (s_buckley), 25, 26, 27, 30, 31, 32.
Logo: t. 6 (Urdd Gobaith Cymru), 7 (Urdd Gobaith Cymru), 8 (Eisteddfod Genedlaethol Cymru), 12 (Cymdeithas Amaethyddol Frenhinol Cymru), 14 (Clybiau Ffermwyr Ifanc Cymru), 16 (Undeb Rygbi Cymru; Y Dreigiau; Y Gleision; Y Gweilch; Y Scarlets), 17 (Cymdeithas Bêl-droed Cymru), 18 (Chwaraeon Cymru), 20 (S4C), 21 (S4C; BBC Cymru Wales), 22 (BBC Cymru Wales), 24 (Eisteddfod Gerddorol Ryngwladol Llangollen), 25 (Mudiad Meithrin), 26 (Cynulliad Cenedlaethol Cymru), 27 (Llyfrgell Genedlaethol Cymru), 28 (Cymdeithas yr Iaith Gymraeg), 30 (Amgueddfa Cymru), 32 (Gardd Fotaneg Genedlaethol Cymru; Cadw).
Pennill: t. 29 (Geiriau Dafydd Iwan ⓗ Cyhoeddiadau Sain, o'r gân 'Mr Tomos, Os Gwelwch Chi'n Dda').

A wyddoch chi am Sefydliadau Cymru?

Catrin Stevens
Cartwnau gan Eric Heyman

Gomer

Gwynfor
2005

Cynnwys

Urdd Gobaith Cymru

A wyddoch chi ...

Ffaith!

Urdd Gobaith Cymru Fach oedd enw gwreiddiol y mudiad.

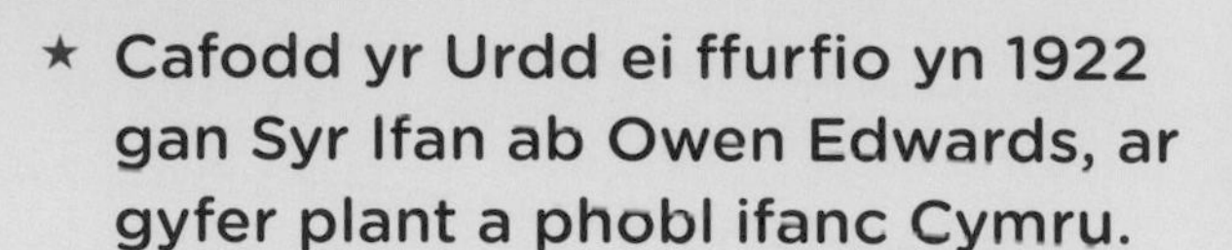

- Cafodd yr Urdd ei ffurfio yn 1922 gan Syr Ifan ab Owen Edwards, ar gyfer plant a phobl ifanc Cymru.
- Dyma adduned yr Urdd:

Byddaf ffyddlon i Gymru a theilwng ohoni;
I gyd-ddyn, pwy bynnag y bo;
I Grist a'i gariad ef.

Syr Ifan ab Owen Edwards

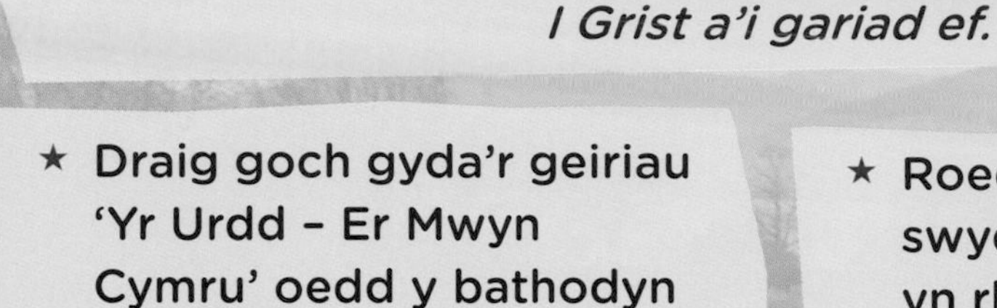

- Draig goch gyda'r geiriau 'Yr Urdd – Er Mwyn Cymru' oedd y bathodyn cyntaf.
- Yna daeth siâp triongl, yn cynnwys tri lliw:
  - gwyrdd – Cymru
  - coch – cyd-ddyn
  - gwyn – Crist
- Roedd enwau milwrol ar y swyddogion cynnar. Roedd yn rhaid casglu aelodau er mwyn bod yn swyddog.
  - Is-gapten – 6 aelod
  - Capten – 12 aelod
  - Rhingyll – 24 aelod
  - Cadfridog – 50 aelod

C+A

CWESTIWN: Ble agorodd adran gyntaf yr Urdd?

ATEB: Treuddyn, Sir y Fflint.

- Gwisg swyddogol y merched yn y 1930au oedd het, sgert a chot werdd; pluen goch yn yr het, a thei coch a gwyrdd.
- Mae gan yr Urdd Ymdeithgan:

Dathlwn glod ein cyndadau,
Enwog gewri Cymru fu ...

- Yn 2010 roedd 48,526 o aelodau mewn 1,200 cangen.
- Roedd Ioan Gruffudd, Alex Jones a Dewi Pws yn arfer bod yn aelodau!

Geirfa

adduned: math arbennig o addewid
rhingyll: y swyddog uchaf ond un
cadfridog: swyddog uchel iawn
ymdeithgan: cân sy'n cael ei chanu wrth i bobl gerdded gyda'i gilydd

A wyddoch chi ...

Ffaith!

Mae 1,000,000 (miliwn) o bobl yn gwylio'r Eisteddfod ar y teledu!

Eisteddfod Genedlaethol yr Urdd

★ Yng Nghorwen y cafodd yr Eisteddfod gyntaf ei chynnal, yn 1929.
★ Erbyn heddiw, dyma ŵyl ieuenctid fwyaf Ewrop!
★ Mae 40,000 yn cystadlu yn y rowndiau cylch a sir ...
★ ... a 14,000 yn genedlaethol – mwy nag yn y Gêmau Olympaidd!
★ Chafodd yr Eisteddfod mo'i chynnal yn 2001 oherwydd clwy'r traed a'r genau.

Gwersyll Llangrannog

Canolfan y Mileniwm

Gwersylloedd

★ Roedd y bechgyn yn y gwersyll cyntaf yn Llanuwchllyn yn 1928 yn ymolchi yn afon Twrch ac yn coginio mewn crochan dros dân agored!
★ Yng ngwersylloedd cyntaf Llangrannog roedd y merched yn cysgu mewn cabanau pren, a'r bechgyn mewn pebyll!
★ Yn 1950 agorodd gwersyll Glan-llyn ar Lyn Tegid, y Bala.
★ *Y Brenin Arthur* yw enw cwch y gwersyll.

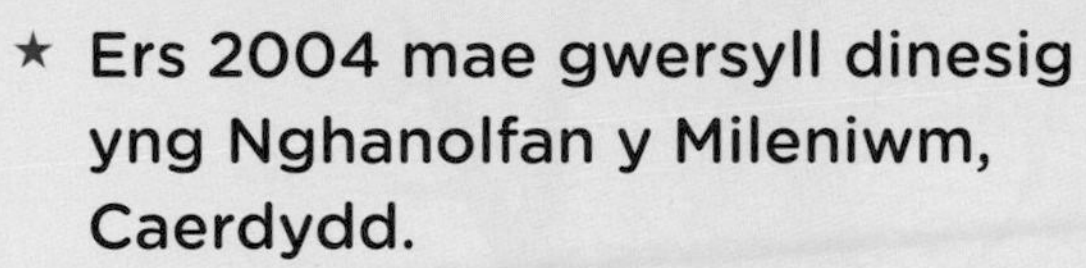

★ Ers 2004 mae gwersyll dinesig yng Nghanolfan y Mileniwm, Caerdydd.
★ Gwersyll Pentre Ifan yn Sir Benfro yw'r un diweddaraf.

Cylchgronau

★ Mae 28,000 o blant yn darllen y cylchgronau hyn:
- *Cip* i blant cynradd
- *Bore da* i ddysgwyr cynradd
- *iaw!* i ddysgwyr uwchradd

C+A

CWESTIWN: Beth yw ystyr 'Jeriw' a 'Swogs' yn iaith y gwersyllwyr?

ATEB: Toiled a swyddogion!

Chwaraeon

★ Cymerodd 4,000 o aelodau ran yn y Mabolgampau cyntaf yn Llanelli, 1932.
★ Erbyn hyn mae 40,000 yn cystadlu, er enghraifft:
- 152 tîm rygbi
- 130 tîm pêl-rwyd

Mistar Urdd

★ Cafodd Mistar Urdd ei ddyfeisio yn y 1970au.

Hei, Mistar Urdd, yn dy goch, gwyn a gwyrdd,
Mae hwyl i gael ym mhobman yn dy gwmni.
Hei, Mistar Urdd, tyrd am dro ar hyd y ffyrdd -
Cawn ganu'n cân i holl ieuenctid Cymru.

www.urdd.org

Yr Eisteddfod Genedlaethol

A wyddoch chi . . .

★ Mae llawer iawn o bobl yn mynychu Eisteddfod Genedlaethol Cymru bob blwyddyn:

- tua 160,000 o ymwelwyr
- tua 5,000 o gystadleuwyr
- dros 325 o stondinwyr.

★ Mae'r Eisteddfod yn teithio o gwmpas Cymru – o'r de i'r gogledd bob yn ail.

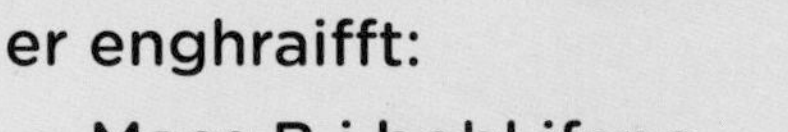

★ Mae sawl ardal wahanol, er enghraifft:

- Maes B i bobl ifanc
- Maes D i'r dysgwyr
- Pabell Lên i drafod llenyddiaeth
- Pafiliwn Celf a Chrefft i arlunwyr ac artistiaid
- Theatr

Ffaith!

Mae'r maes fel arfer yr un maint â 30 o gaeau pêl-droed.

Maes B

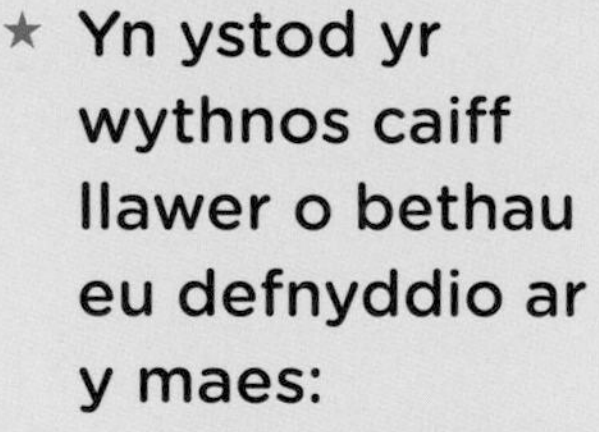

★ Yn ystod yr wythnos caiff llawer o bethau eu defnyddio ar y maes:

- chwe milltir o wifrau trydan
- pum milltir o bapur tŷ bach
- 330,000 galwyn o ddŵr

Geirfa

mynychu: bod yn bresennol; mynd i rywle
ymwelwyr: rhai sy'n mynd i weld rhywun neu rywbeth
llenyddiaeth: gwaith ysgrifennu creadigol, er enghraifft stori, barddoniaeth

C+A

CWESTIWN: Faint mae'n gostio i gynnal yr Eisteddfod Genedlaethol bob blwyddyn?

ATEB: Dros £3,000,000 (£3 miliwn).

A wyddoch chi ...

- Cafodd yr 'eisteddfod' gyntaf erioed ei chynnal yn 1176 yng nghastell Aberteifi gan yr Arglwydd Rhys, Tywysog y Deheubarth.
- Yn 1861 yn Aberdâr y cafodd yr eisteddfod fodern gyntaf ei chynnal.

Castell Aberteifi

- Oherwydd y Rhyfel Byd Cyntaf ni chafodd Eisteddfod Genedlaethol ei chynnal yn 1914, ac eisteddfod radio oedd un 1940, adeg yr Ail Ryfel Byd.

- Cymraeg yw iaith swyddogol y brifwyl ers Eisteddfod Caerffili yn 1950, ond mae offer cyfieithu ar gael ar gyfer y di-Gymraeg.

Ffaith!

Chwythwyd y pafiliwn i lawr mewn gwynt mawr cyn dechrau'r ŵyl yn 1861!

Lleoliadau'r Eisteddfod Genedlaethol (2000-2014)	
2000	Llanelli
2001	Dinbych
2002	Tyddewi
2003	Maldwyn a'r Gororau
2004	Casnewydd
2005	Eryri a'r Cyffiniau
2006	Abertawe
2007	Sir y Fflint a'r Cyffiniau
2008	Caerdydd a'r Cylch
2009	Meirion a'r Cyffiniau
2010	Blaenau Gwent a Blaenau'r Cymoedd
2011	Wrecsam a'r Fro
2012	Bro Morgannwg
2013	Sir Ddinbych a'r Cyffiniau
2014	Llanelli

www.eisteddfod.org.uk

Geirfa

cyfieithu: newid rhywbeth o un iaith i iaith arall

Gorsedd y Beirdd

A wyddoch chi ...

★ Gorsedd y Beirdd sy'n gofalu am brif seremonïau'r Eisteddfod Genedlaethol:

- Gŵyl Gyhoeddi
- Coroni (dydd Llun)
- Medal Ryddiaith (dydd Mercher)
- Cadeirio (dydd Gwener)

C+A

CWESTIWN:

Pwy yw prif swyddog yr Orsedd?

ATEB:

Yr Archdderwydd. Mae'n gwisgo coron a dwyfronneg, ac yn cario teyrnwialen.

Ffaith!

Christine James yw'r fenyw gyntaf i fod yn Archdderwydd Gorsedd y Beirdd.

★ Mae tair urdd wahanol yng Ngorsedd y Beirdd:

- Derwydd – gwisg wen. Mae'r derwyddon wedi ennill un o brif wobrau'r eisteddfod.
- Llenor / Cerddor – gwisg las
- Ofydd – gwisg werdd

★ Syniad Iolo Morganwg oedd creu Gorsedd y Beirdd.

★ Cwrddodd yr Orsedd gyntaf ar Fryn Briallu, Llundain ar 21 Mehefin, 1792.

Geirfa

dwyfronneg: darn o arfogaeth i amddiffyn y frest

teyrnwialen: ffon fer y mae rhywun yn ei chario mewn seremoni

derwydd: offeiriad neu ddyn doeth oedd yn athro, yn fardd, yn ddewin ac yn y blaen yn Oes y Celtiaid

ofydd: aelod o ris isaf urddau'r Orsedd

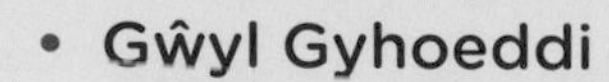

A wyddoch chi ...

★ Mae dau chwaraewr rygbi dros Gymru, Ray Gravell a Robin McBryde, wedi dal swydd Ceidwad y Cledd yng Ngorsedd y Beirdd.

Ffaith!

Mae nifer o bobl enwog yn aelodau o'r Orsedd, er enghraifft:

- Carwyn Jones
- Cerys Matthews
- Shane Williams
- y frenhines Elizabeth
- Matthew Rhys
- Stephen Jones
- John Hartson

Matthew Rhys

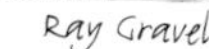

Ray Gravell

★ Mae pob aelod o'r Orsedd yn dewis enw barddol personol.

★ Ellis Humphrey Evans – Hedd Wyn.

- Enillodd e gadair Eisteddfod Genedlaethol Penbedw, 1917.
- Ond bu'n rhaid rhoi gorchudd du dros y Gadair yn y seremoni oherwydd bod Hedd Wyn wedi cael ei ladd yn y Rhyfel Byd Cyntaf.

Geirfa

ceidwad: person sy'n gyfrifol am gadw rhywbeth
cledd: cleddyf

www.gorsedd.org

Cymdeithas Amaethyddol Frenhinol Cymru

A wyddoch chi ...

* Cymdeithas Amaethyddol Frenhinol Cymru sy'n cynnal y Sioe Fawr yn Llanelwedd.
* Dyma sioe amaethyddol fwyaf Ewrop.

Ffaith!

Y record ar gyfer y nifer mwyaf erioed o ymwelwyr yn y sioe yw 241,099 yn 2012.

* Mae sir wahanol yn noddi'r sioe bob blwyddyn.
* Dechreuodd y Sioe Fawr yn Aberystwyth yn 1904. Buodd hi'n teithio o'r de i'r gogledd am flynyddoedd.
* Yn 1908 roedd 23 trên arbennig yn cario pobl i'r sioe; a 224 wagen ar gyfer gwartheg a cheffylau. Dyna ddrewdod!

* Ers 1963 mae'r Sioe'n cael ei chynnal ym mis Gorffennaf, yn Llanelwedd, Powys.
* Mae adeiladau parhaol – fel y Neuadd Fwyd a Neuadd Arddangos De Morgannwg – ar y safle.
* Yn 2011, gosodwyd wyneb porfa naturiol newydd yn y Prif Gylch i wrthsefyll effaith tywydd gwlyb.

Geirfa

amaethyddol: rhywun neu rywbeth sy'n ymwneud â ffermio neu amaethyddiaeth
noddi: rhoi arian i gefnogi rhywun neu rywbeth rydych chi'n meddwl sy'n ei haeddu
parhaol: rhywbeth sy'n parhau am byth neu am amser hir
gwrthsefyll: parhau'n dda heb dreulio neu ddifetha

A wyddoch chi ...

- ★ Yn cystadlu yn y sioe bob blwyddyn mae tua:
  - 3,250 o geffylau
  - 3,000 o ddefaid
  - 945 o wartheg
  - 95 o foch
- ★ Mae cystadleuaeth arbennig ar gyfer plant dros saith oed i ddangos sut i drin a thrafod moch.

C+A

CWESTIWN: Faint o arian mae'r bobl sy'n mynd i'r sioe yn ei dynnu bob dydd o'r peiriannau dosbarthu arian ar y maes?

ATEB: Tua £300,000.

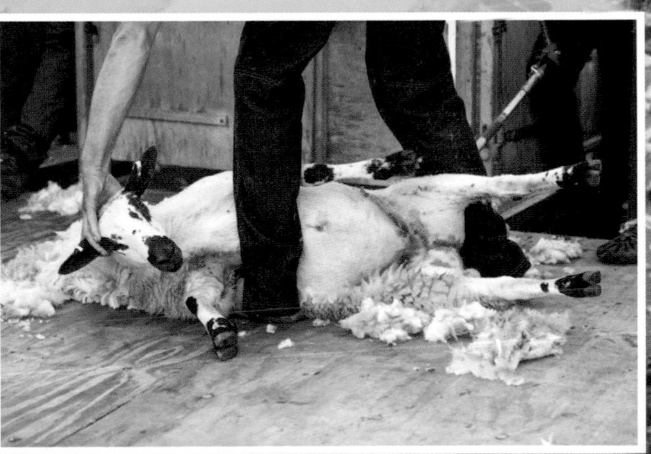

- ★ Yn 2010 cafodd Pencampwriaeth Cneifio'r Byd ei chynnal yn y Sioe. Dyn o Seland Newydd enillodd; ond Cymraes, Bron Tango, oedd pencampwraig y gystadleuaeth lapio gwlân.

- ★ Mae'r Gymdeithas Amaethyddol Frenhinol hefyd yn cynnal digwyddiadau eraill:
  - Gŵyl Tyddyn a Gardd
  - Ffair Aeaf

Geirfa

pencampwraig: y fenyw orau mewn cystadleuaeth; yr enillydd

www.rwas.co.uk

Clybiau Ffermwyr Ifanc Cymru

A wyddoch chi ...

- ★ Cafodd y mudiad ei sefydlu gyntaf yn 1936.
- ★ Dyma'r mudiad mwyaf i bobl ifanc cefn gwlad Cymru.
- ★ Mae 6,000 o aelodau yn y clybiau.
- ★ Rhaid i'r aelodau fod rhwng 10 a 26 mlwydd oed.
- ★ Mae 170 clwb ar draws 12 sir yng Nghymru.

Ffaith!

Does dim rhaid bod yn ffermwr ifanc na byw ar fferm i fod yn aelod o Glwb Ffermwyr Ifanc!

- ★ Mae'r mudiad yn cynnig cyfleoedd i gymryd rhan mewn gwahanol weithgareddau:
  - siarad cyhoeddus
  - eisteddfodau
  - chwaraeon fel tynnu rhaff ac ati
  - gweithgareddau ym maes amaethyddiaeth
  - dysgu ffensio, magu stoc a choginio
  - cyfleoedd i deithio dramor

Geirfa

sefydlu: creu
cyhoeddus: ar agor, neu ar gael i bawb

A wyddoch chi ...

- Y Sioe Fawr yn Llanelwedd, gyda'i chystadlaethau di-rif, yw uchafbwynt y flwyddyn i'r Ffermwyr Ifanc.

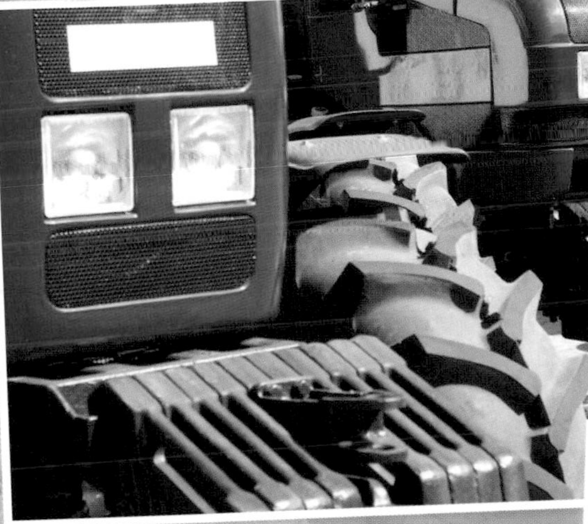

- Bydd tua 5,000 o bobl ifanc yn aros mewn pebyll a charafannau ym Mhentre Ieuenctid y Sioe Fawr bob blwyddyn!

www.cffi-cymru.org.uk

- Yn 2011 enillodd tri aelod ifanc o Sir Drefaldwyn gystadleuaeth 'Tractor Factor' gyda'u dehongliad doniol 'Plough ON' o gân gan Rihanna!
- Gwyliodd 55,000 o bobl nhw ar *YouTube,* a buon nhw'n canu yng Ngŵyl Glastonbury!

Geirfa

uchafbwynt: rhywbeth pwysig sy'n sefyll allan
dehongliad: ffordd arall o egluro neu wneud rhywbeth

Undeb Rygbi Cymru
A wyddoch chi ...

- Yn Nhafarn y Castell, Castell-nedd, yn 1881 daeth 11 clwb at ei gilydd i sefydlu Undeb Rygbi Cymru.
- Ond doedd clwb Castell-nedd ddim yno! Roedd yr aelodau wedi pwdu!
- Mae tîm rygbi Cymru wedi cael tair Oes Aur:
  - 1900-11 – chwe Choron Driphlyg, a threchu Crysau Duon Seland Newydd 3-0 yn 1905
  - 1969-79 – tair Camp Lawn a chwe Choron Driphlyg
  - 2005-12 – tair Camp Lawn a thair Coron Driphlyg

- Stadiwm y Mileniwm yw cartref y tîm cenedlaethol ers 1999.

Ffaith!

Rhwng 1881 a 2011 bu 129 o gapteiniaid gwahanol ar Gymru.

Undeb Rygbi Menywod Cymru

- Yn 2006 a 2008 daeth y tîm yn ail yng Nghystadleuaeth y Chwe Gwlad.
- Cipiodd y tîm y Goron Driphlyg am y tro cyntaf erioed yn 2009.

- Ers 2003 mae timau Cymru'n broffesiynol, gyda phedwar tîm rhanbarthol:
  - Y Dreigiau
  - Y Gleision
  - Y Gweilch
  - Y Scarlets

www.wru.co.uk

C+A

CWESTIWN: Pryd cafodd Undeb Rygbi Menywod Cymru ei sefydlu?

ATEB: 1994.

Cymdeithas Bêl-droed Cymru

A wyddoch chi . . .

- 'Gorau Chwarae Cyd-chwarae' yw arwyddair y Gymdeithas.
- Cymdeithas Bêl-droed Cymru yw'r drydedd gymdeithas hynaf yn y byd.
- Cafodd ei sefydlu yn Wrecsam yn 1876.

- Cafodd y gêm ryngwladol gyntaf ei chwarae yng Nghymru ar y Cae Ras, Wrecsam yn 1877.
- Hwn yw'r cae pêl-droed rhyngwladol hynaf yn y byd sy'n dal i gael ei ddefnyddio!
- Cyrhaeddodd Cymru rownd gyn-derfynol Cwpan Pêl-droed y Byd yn Sweden yn 1958.

Ffaith!

Mae Cymdeithas Bêl-droed Cymru yn un o aelodau gwreiddiol Bwrdd y Gymdeithas Bêl-droed Ryngwladol, sy'n penderfynu rheolau'r gêm.

C+A

CWESTIWN: Ble mae cartref tîm pêl-droed Cymru?

ATEB: Stadiwm y Mileniwm.

Tîm pêl-droed Cymru

- Cymdeithas Bêl-droed Cymru sy'n trefnu gêmau Cwpan Cymru.
- Clwb Wrecsam sydd wedi ennill y Cwpan y nifer mwyaf o weithiau.
- Mae enillydd y Cwpan yn cael chwarae yng Nghynghrair Europa UEFA y tymor wedyn.
- Hereford United oedd y tîm diwethaf o Loegr i ennill Cwpan Cymru, yn 1990.
- Dinas Abertawe oedd pencampwyr Cwpan y Menywod yn 2011.

www.faw.org.uk

Geirfa

arwyddair: geiriau ar darian

gwreiddiol: wedi'i wneud gyntaf; cyn unrhyw un arall

Chwaraeon Cymru

A wyddoch chi ...

sportwales chwaraeoncymru

- **Chwaraeon Cymru** sy'n hyrwyddo chwaraeon a gweithgareddau hamdden yng Nghymru.
- Cafodd ei sefydlu yn 1972.

- **Athletau Cymru** sy'n cefnogi athletwyr Cymru.
- Yn y Gêmau Olympaidd a Pharalympaidd, maen nhw'n cystadlu dros Brydain.
- Yng Ngêmau'r Gymanwlad mae'r athletwyr yn cystadlu dros Gymru.

C+A

CWESTIWN:

Ble mae Canolfan Genedlaethol Chwaraeon Cymru?

ATEB:

Gerddi Sophia, Caerdydd.

- Heddiw, Stadiwm Chwaraeon Rhyngwladol Caerdydd yn Llechwydd, Caerdydd, yw pencadlys athletwyr Cymru.
- Newport Harriers yw'r clwb athletau hynaf sy'n dal i fodoli yng Nghymru. Cafodd ei sefydlu yn 1896.

Ffaith!

Mae lle i tua 5,000 o wylwyr yn y Stadiwm yn Llechwydd.

www.sportwales.org.uk

www.welshathletics.org

Geirfa

hyrwyddo: cefnogi

cefnogi: helpu rhywun neu rywbeth; bod o blaid

pencadlys: prif ganolfan sefydliad neu gymdeithas

A wyddoch chi ...

Nofio Cymru

- Cymdeithas Nofio Amatur Cymru oedd enw gwreiddiol y gymdeithas yn 1897.

Ffaith!

Mae 9,000 o nofwyr mewn 90 clwb yn aelodau o Nofio Cymru heddiw.

- Agorwyd pwll nofio 50 metr ar gyfer Gêmau'r Ymerodraeth a'r Gymanwlad yng Nghaerdydd yn 1958. Roedd hyn yn hwb mawr i nofio yng Nghymru.
- Erbyn hyn mae dau bwll nofio 50 metr yng Nghymru:
  - Pwll Cenedlaethol Cymru – Abertawe, canolfan Nofio Cymru
  - Pwll Rhyngwladol Caerdydd

C+A

CWESTIWN: Ble cafodd y gêm hoci ryngwladol gyntaf erioed ei chynnal?

ATEB: Yn y Rhyl yn 1895 pan gurodd Iwerddon o 3-0 yn erbyn Cymru!

Hoci Cymru

- Enillodd dynion Cymru fedal efydd yng Ngêmau Olympaidd 1908.
- Yn 1975 roedd menywod Cymru yn rhif dau ar restr timau'r byd.

Pêl-rwyd Cymru

- Yn 1949 y chwaraeodd tîm pêl-rwyd Cymru ei gêmau rhyngwladol cyntaf.
- Mae Cymru wedi curo Lloegr ddwy waith: 33-29 yn 1980 a 59-58 yn 2001, pan enillon nhw Bencampwriaeth Ewrop.
- Yn 2011 roedd Cymru yn rhif 14 ar restr timau'r byd.

Geirfa

hwb: helpu rhywbeth i gryfhau neu wella

www.hockeywales.org.uk

www.welshasa.co.uk

www.welshnetball.co.uk

S4C

A wyddoch chi ...

★ Ar 1 Tachwedd 1982 y cafodd sianel S4C ei lansio.

C+A

CWESTIWN. Beth oedd un o'r rhaglenni mwyaf poblogaidd ar y noson honno?

ATEB: Cartŵn *Superted.*

★ Trwy'r 1970au roedd aelodau Cymdeithas yr Iaith Gymraeg yn ymgyrchu, a rhai wedi mynd i'r carchar, dros sianel deledu Gymraeg.

★ Pan dorrodd y Llywodraeth Geidwadol ei haddewid i sefydlu sianel yn 1980, fe wnaeth Gwynfor Evans, Llywydd Plaid Cymru, fygwth ymprydio nes y byddai'n marw. Yna, newidiodd y Llywodraeth ei meddwl a chafodd y sianel ei sefydlu!

Carreg i gofio Gwynfor Evans (1912-2005) ar Garn Goch, ger Llangadog

Geirfa

poblogaidd: rhywbeth y mae llawer o bobl yn ei hoffi
ymgyrchu: cynllunio nifer o weithgareddau am reswm arbennig
addewid: yr hyn rydych chi'n ei addo i rywun
ymprydio: mynd heb fwyd neu wrthod bwyd

Ffaith!

Mae S4C wedi gwerthu ei rhaglenni i 100 o wledydd dros y byd.

A wyddoch chi ...

- Mae nifer o gwmnïau annibynnol yn gwneud rhaglenni ar gyfer S4C.
- Dyma rai rhaglenni sydd wedi'u darlledu dros y blynyddoedd:
  - *Y Clwb Rygbi* – sy'n dangos gêmau rygbi byw
  - *Pobol y Cwm* – opera sebon. Yn y saithdegau roedd 30 pennod y flwyddyn. Nawr mae 260!
  - *C'mon Midffîld* – comedi am dîm pêl-droed anobeithiol Bryncoch United
  - *Rownd a Rownd* – opera sebon i bobl ifanc
  - Cartŵn *Sam Tân* – sydd wedi'i gyfieithu i 25 o ieithoedd, gan gynnwys Mandarin China

- Mae'r di-Gymraeg yn gallu dilyn rhaglenni S4C trwy is-deitlau ar Teletecst 888.
- Mae dwy o ffilmiau S4C wedi cael eu henwebu am wobr Oscar y Ffilm Dramor Orau:
  - Hedd Wyn (1994)
  - Solomon a Gaenor (2000)

www.s4c.co.uk

Geirfa

annibynnol: ar eich pen eich hunan

anobeithiol: heb fod yn dda am wneud rhywbeth, gwael iawn

enwebu: cynnig enw rhywbeth neu rywun ar gyfer rhywbeth

BBC Cymru Wales

A wyddoch chi ...

BBC cymru wales

Porth y Rhâth

- Mae BBC Cymru Wales yn cynnig rhaglenni teledu a radio a gwasanaethau gwefan yn y Gymraeg a'r Saesneg i holl bobl Cymru.
- Mae Radio Cymru wedi bod yn darlledu rhaglenni trwy gyfrwng y Gymraeg ers 1977.
- Yn Llandaf, Caerdydd, mae prif ganolfan y BBC yng Nghymru.
- Yma mae'r ystafell newyddion fwyaf ym Mhrydain y tu allan i Lundain.
- Darllediad y BBC o'r Eisteddfod Genedlaethol yw'r Darllediad Allanol ail fwyaf, yn ail yn unig i Wimbledon.
- Bellach, mae canolfan ddrama newydd - Porth y Rhâth - wedi'i hadeiladu ym Mae Caerdydd.
- Mae *Doctor Who*, *Casualty* a *Pobol y Cwm* yn cael eu ffilmio yma.

Ian Woosnam

Ffaith!

Pobol y Cwm yw opera sebon deledu hynaf y BBC. Dechreuodd yn 1974, felly mae'n hŷn nag Eastenders!

- Un o ddigwyddiadau pwysig BBC Cymru Wales ers 1954 yw Personoliaeth Chwaraeon y Flwyddyn Cymru.
- Mae'r canlynol wedi ennill y wobr hon dair gwaith yr un:
  - Howard Winstone (bocsiwr)
  - Ian Woosnam (golffiwr)
  - Tanni Grey-Thompson (athletwraig gadair-olwyn)
  - Joe Calzaghe (bocsiwr)

Tanni Grey-Thompson

www.bbc.co.uk/cymru

Geirfa

darllediad: rhaglen sydd wedi cael ei hanfon allan ar y radio neu'r teledu

C+A

CWESTIWN: Pa sylwebyddion rygbi greodd dermau fel *maswr* a *mewnwr*, *cic gosb* a *chic adlam* i ddisgrifio gêmau rygbi yn y Gymraeg ar y radio?

ATEB: Eic Davies a Thomas Davies.

Sefydliadau Perfformio Cymru

A wyddoch chi ...

- ★ Mae sawl cwmni theatr cenedlaethol wedi bod yng Nghymru.

www.theatr.com

- ★ Roedd Cwmni Theatr Cymru yn llwyddiannus iawn rhwng 1965 ac 1984.
- ★ Theatr yr Ifanc, oedd yn datblygu talentau newydd.
- ★ Mae'r Theatr Genedlaethol yn llwyfannu dramâu Cymraeg ers 2003.
- ★ Daeth Arwel Gruffydd yn gyfarwyddwr y Theatr yn 2011.
- ★ Mae *National Theatre Wales* yn llwyfannu dramâu Saesneg ers 2009.

Theatr Genedlaethol Cymru

www.nationaltheatrewales.org/cymraeg

- ★ A beth am bobl ifanc talentog? Wel, mae sawl cwmni cenedlaethol ar eu cyfer nhw hefyd:

- Band Pres
- Côr
- Dawns
- Cerddorfa
- Theatr

www.nyaw.co.uk

Ffaith!

Daeth seren Hollywood, Michael Sheen, adre i Bort Talbot i actio gyda 1,000 o bobl leol yn nrama fawr The Passion yn ystod Pasg 2011.

Opera Cenedlaethol Cymru

- ★ Yn 1943, penderfynodd yr athro llais Idloes Owen sefydlu Corws ar gyfer cwmni Opera Cenedlaethol i Gymru.
- ★ Yn y Corws o 28 roedd glowyr, doctoriaid, gwragedd tŷ, gweithwyr dur ac eraill. Doedd y mwyafrif ddim yn gallu darllen cerddoriaeth o gwbl!
- ★ Heddiw mae 250 aelod yn y Cwmni:
  - 40 yn y Corws
  - 55 yn y Gerddorfa
  - 10 yn gofalu am wisgoedd
  - 3 yng ngofal wigiau a choluro
  - 3 yng ngofal propiau
- ★ Mae'r Cwmni yn teithio Cymru a Lloegr o'i gartref yng Nghanolfan y Mileniwm.

www.wno.org.uk

Geirfa

datblygu: tyfu'n fwy neu ddod yn well

llwyfannu: perfformio neu drefnu perfformiad cyhoeddus o ddrama, sioe ac ati

cyfarwyddwr: person sy'n gyfrifol am reoli'r rhai sy'n actio

Eisteddfod Gerddorol Ryngwladol Llangollen

A wyddoch chi ...

- Cafodd yr ŵyl ei sefydlu yn 1947.
- Mae'r ŵyl yn cael ei chynnal yn Llangollen ym mis Gorffennaf bob blwyddyn.
- Mae'r eisteddfod ryngwladol yn rhan bwysig o'r ŵyl dros bedwar diwrnod.
- Mae Katherine Jenkins, McFly a Shirley Bassey wedi perfformio ar lwyfan yr eisteddfod.
- Bob Gorffennaf, mae mwy na 4,000 o bobl yn perfformio yn yr ŵyl.

- Yn 1949 cyrhaeddodd y cystadleuwyr cyntaf o'r Almaen. Arweinydd y llwyfan oedd Hywel Jones. Roedd ei frawd wedi cael ei ladd yn yr Ail Ryfel Byd. Ond meddai wrth y gynulleidfa, 'A wnewch chi dderbyn ein ffrindiau o'r Almaen, os gwelwch yn dda', a chafon nhw groeso mawr!

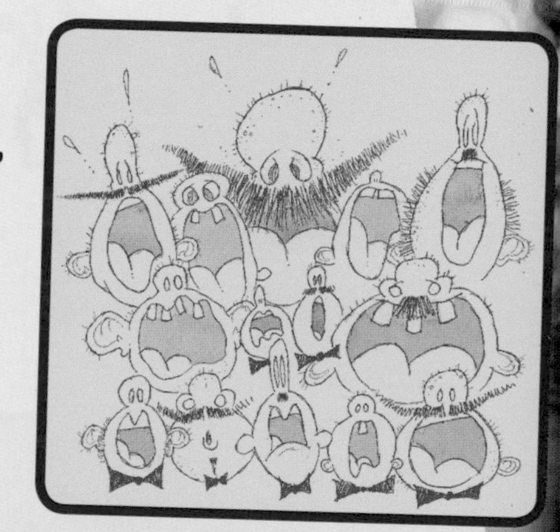

- Yn 1955 bu'r canwr byd-enwog, Luciano Pavarotti, yn cystadlu yn Llangollen gyda chôr meibion ei dad o'r Eidal.
- Bob dydd Mawrth yn ystod wythnos yr Eisteddfod, bydd gorymdaith liwgar trwy'r dref hardd a thros bont enwog Llangollen o'r holl gystadleuwyr yn eu gwisgoedd traddodiadol.

Geirfa

gorymdaith: grŵp o bobl sy'n symud mewn un llinell hir

www.international-eisteddfod.co.uk

Mudiad Meithrin

A wyddoch chi ...

- Mae'r mudiad yn rhoi cyfle i blant bach o bob cefndir chwarae a dysgu yn Gymraeg.
- Dim ond tua 65 ysgol feithrin Gymraeg oedd yng Nghymru gyfan pan gafodd Mudiad Ysgolion Meithrin ei sefydlu yn 1971.

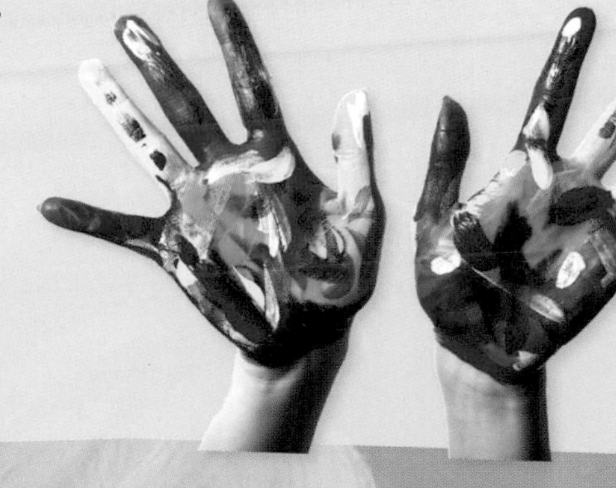

- Erbyn 2009 roedd yna:
  - 550 cylch meithrin
  - 450 cylch Ti a Fi (plant a'u rhieni neu eu gwarchodwyr)
  - 18,000 o blant bach yn eu mynychu

- Bob haf, mae'r mudiad yn cynnal Gŵyl Feithrin sy'n teithio o gwmpas Cymru.
- Yn 1983 daeth 24,000 o bobl i Barc Margam, Port Talbot, i fwynhau Picnic Superted enfawr.
- Cyrhaeddodd Superted a Smotyn mewn hofrenydd, a daeth y traffig i stop ar yr M4!

- Mabon a Mabli oedd dau o gymeriadau cynnar y mudiad.
- Dewin a Doti'r ci yw ffefrynnau plant bach Cymru heddiw.

- Erbyn hyn mae cylchoedd tebyg yn Iwerddon (mewn Gwyddeleg), yr Alban (Gaeleg), Llydaw (Llydaweg), Seland Newydd (Maori) a Phatagonia (Cymraeg) i ddysgu'r ieithoedd hyn i blant bach.

gwarchodwyr: rhai sy'n gofalu am blant

www.mym.co.uk

Cynulliad Cenedlaethol Cymru

A wyddoch chi . . .

- Mae gan Gymru ei llywodraeth ei hun yn y Senedd ym Mae Caerdydd.
- Yn 1999 y dechreuodd Cynulliad Cenedlaethol Cymru weithredu i helpu rheoli Cymru.
- Bob pedair blynedd mae 60 o Aelodau Cynulliad (AC) yn cael eu hethol.

- Ar 1 Mawrth, 2006 cafodd adeilad newydd y Senedd ei agor ym Mae Caerdydd.
- Y pensaer oedd Richard Rogers.
- Mae Siambr Cynulliad Cymru yn grwn fel bod pawb yn gallu gweld ei gilydd a thrafod yn well.
- Cafodd concrit, gwydr, dur a llechi o Gymru eu defnyddio i adeiladu'r Senedd.

- Mae'n adeilad amgylcheddol.
- Caiff dŵr glaw ei gasglu ar gyfer y toiledau.
- Mae'r ffenestri mawr a'r llusern yn y to yn gadael golau naturiol i mewn.
- Ar ben y to mae cwfl yn troi yn y gwynt i sicrhau bod aer yn awyru'r Siambr.

- Costiodd Senedd Cymru £67,000,000 (£67 miliwn) i'w adeiladu.
- Costiodd Senedd-dy yr Alban £414,000,000 (£414 miliwn) i'w adeiladu!

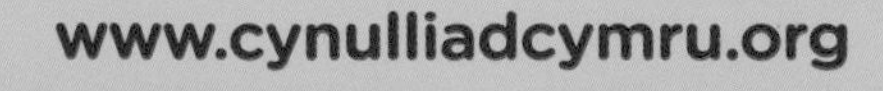

www.cynulliadcymru.org

Geirfa

ethol: dewis trwy etholiad
llusern: dyfais ar gyfer taflu golau
cwfl: math arbennig o simne

C+A

CWESTIWN: Beth yw teitl arweinydd Llywodraeth Cymru?
ATEB: Prif Weinidog Cymru.

Llyfrgell Genedlaethol Cymru

A wyddoch chi . . .

www.llgc.org.uk

- Cafodd y Llyfrgell ei sefydlu yn Aberystwyth yn 1907.
- Mynnodd Syr John Williams, meddyg y teulu brenhinol, mai Aberystwyth fyddai cartref y llyfrgell genedlaethol gyntaf.
- Roedd e'n berchen llyfrgell breifat enfawr o 26,000 o lyfrau a llawysgrifau, a chyflwynodd y cyfan i'r genedl.
- Llyfrgell Genedlaethol Cymru yw un o lyfrgelloedd mawr y byd.
- Mae hawl ganddi i dderbyn copi o bob llyfr a chylchgrawn sy'n cael eu cyhoeddi ym Mhrydain ac Iwerddon.
- Mae'n casglu llyfrau, llawysgrifau, defnyddiau sain a darluniau am Gymru a'r byd Celtaidd yn arbennig.

C+A

CWESTIWN: Faint o lyfrau sydd yn y Llyfrgell?

ATEB: 5,000,000 (pum miliwn).

Ffaith!

Petai'r holl silffoedd llyfrau yn cael eu gosod yn rhes, bydden nhw'n ymestyn dros 120 o filltiroedd – o Aberystwyth i Bont Hafren!

- Mae un ystafell wedi'i gorchuddio o'r llawr i'r to mewn copr.
- Yma mae ffilmiau, tapiau a rhaglenni teledu Yr Archif Sgrin a Sain Genedlaethol yn cael eu cadw.

- Yn 1939 cafodd ogof ei chloddio o dan y Llyfrgell i gadw darluniau gan artistiaid fel Leonardo da Vinci a Michaelangelo, ynghyd â llythyron Shakespeare, yn ddiogel rhag bomiau'r Ail Ryfel Byd yn Llundain.

Leonardo da Vinci

Shakespeare

Cymdeithas yr Iaith Gymraeg

A wyddoch chi ...

C+A

CWESTIWN: Beth wnaeth sbarduno pobl ifanc i sefydlu Cymdeithas yr Iaith Gymraeg?

ATEB: Neges Saunders Lewis mewn sgwrs radio, 'Tynged yr Iaith', yn 1962.

www.cymdeithas.org

★ Galwodd Saunders Lewis ar y Cymry i ddefnyddio 'dulliau chwyldro' i achub yr iaith.

★ Roedd Trefor ac Eileen Beasley o Langennech wedi dangos y ffordd trwy wrthod llenwi ffurflenni Saesneg Cyngor Llanelli yn y 1950au. Cawson nhw sawl dirwy am hynny.

Geirfa

sbarduno: annog neu berswadio rhywun i wneud rhywbeth
dulliau: y ffordd rydych chi'n dewis gwneud rhywbeth
chwyldro: ymdrech fawr i gael gwared â'r llywodraeth (trwy rym yn aml) a gosod math arall o lywodraeth yn ei lle
achub: cadw rhywun neu rywbeth rhag cael niwed
dirwy: arian y mae rhywun yn gorfod ei dalu fel cosb

★ Dathlodd y mudiad ei ben-blwydd yn 50 oed yn 2012.

A wyddoch chi ...

Dros beth mae'r Gymdeithas wedi brwydro?

- **Ffurflenni swyddogol dwyieithog**
- Eisteddodd criw o fyfyrwyr ar Bont Trefechan, Aberystwyth, i rwystro'r traffig ym mis Chwefror 1963 er mwyn tynnu sylw at y broblem hon.

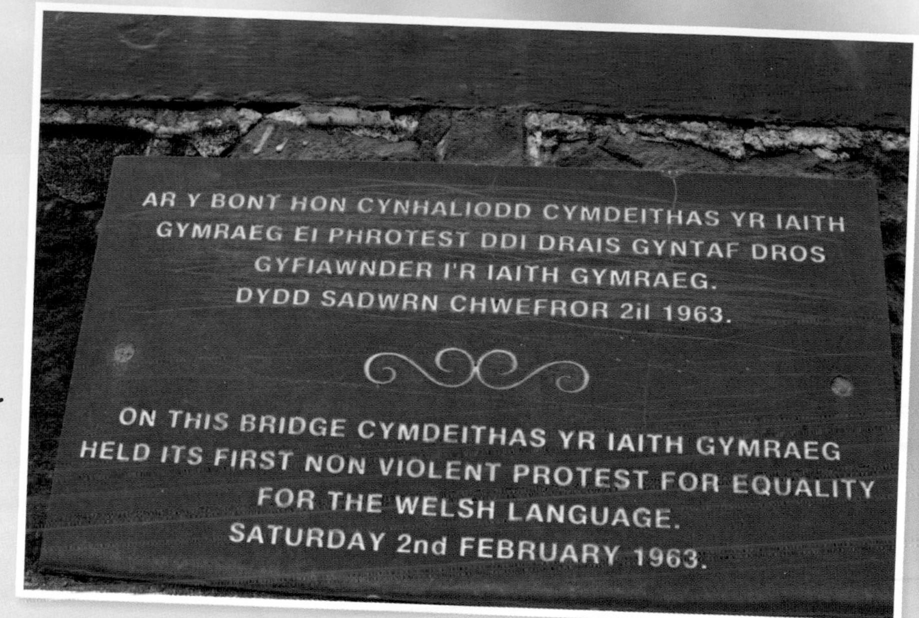

- **Arwyddion ffyrdd dwyieithog**, fel y dywedodd Dafydd Iwan:

Mi es i chwilio am –
Ddinbych a Chaergybi,
Abertawe, Aberteifi,
Ond weles i mohonyn nhw.

Dim ond Cardigan a Swansea,
Holyhead a Denbigh,
Dim ond rhain weles i.

- Bu aelodau'r Gymdeithas yn peintio rhai arwyddion a thynnu rhai eraill i lawr.
- Yn 1974 cafodd arwyddion dwyieithog eu defnyddio ar yr M4 am y tro cyntaf!

- **Deddf Iaith** sy'n rhoi yr un statws i'r iaith Gymraeg ag i Saesneg yng Nghymru.
- Cafodd Deddfau Iaith eu pasio yn 1967, 1993 a 2010.

- **Sianel deledu Gymraeg**
- Cafodd S4C ei sefydlu yn 1982.

- Mae'r Gymdeithas yn dal i frwydro dros gymunedau Cymraeg, addysg Gymraeg a dyfodol teledu yng Nghymru.

Geirfa

swyddogol: rhywbeth pwysig sydd ag awdurdod yn perthyn iddo

dwyieithog: rhywbeth sydd yn y ddwy iaith

statws: stad neu gyflwr sy'n penderfynu lle'r ydych chi'n sefyll

cymunedau: y bobl sy'n byw o fewn ardal neu fro arbennig

Amgueddfa Cymru

A wyddoch chi ...

* Mae saith o amgueddfeydd cenedlaethol yng Nghymru.
* Yn 2009-10 roedd 1,639,827 o bobl wedi ymweld â nhw, a 1,253,630 wedi ymweld â'u gwefan.
* Mae mynediad yn rhad ac am ddim i bob amgueddfa.

C+A

CWESTIWN: Faint o eitemau sydd yn eu storfeydd?
ATEB: 750,000,000 (750 miliwn).

Amgueddfa Genedlaethol Caerdydd

* Mae rhyfeddodau byd-eang yn yr amgueddfa hon ym Mharc Cathays, Caerdydd.
* Yma mae awyrfaen a syrthiodd i'r ddaear ym Meddgelert yn 1949. Mae'n 4,560,000,000 (4,560 miliwn) o flynyddoedd oed!

Ffaith!

Dim ond gan NASA mae allwedd i'r cês sy'n dal yr awyrfaen.

Big Pit: Amgueddfa Lofaol Cymru

* Dyma gyfle i fynd 90 metr i lawr i grombil y ddaear!
* Glowyr go iawn sy'n arwain y teithiau. Rhaid gwisgo helmet a chario lamp i weld yn y tywyllwch!

Amgueddfa Lleng Rufeinig Cymru

* Amffitheatr hen gaer Rufeinig Isca, neu Gaerleon, gyda'i 6,000 sedd yw'r un fwyaf cyflawn ym Mhrydain.
* Olion y barics Rhufeinig yma yw'r unig rai yn Ewrop sydd ar agor i'r cyhoedd.
* Yn y baddonau, cafwyd hyd i'r casgliad unigol mwyaf erioed o emau Rhufeinig. Mae'n siŵr mai'r bobl oedd yn ymdrochi oedd wedi'u gadael ar ôl!
* Cafwyd hyd i'r darn hynaf o ysgrifennu yng Nghymru mewn ffynnon ar y safle!

Geirfa

ymweld: mynd i weld rhywun neu rywbeth
awyrfaen: darn o garreg sydd wedi cwympo o'r gofod
amffitheatr: adeilad crwn neu hirgrwn â rhesi o seddau'n codi o gylch agored yn ei ganol
cyflawn: rhywbeth llawn
barics: adeilad arbennig wedi'i godi er mwyn rhoi llety i lawer o ddynion, er enghraifft milwyr

A wyddoch chi ...

Sain Ffagan:
Amgueddfa Werin Cymru

- ★ Dyma atyniad mwyaf poblogaidd Cymru, gyda 600,000 o ymwelwyr y flwyddyn!
- ★ Mae'r amgueddfa awyr agored yn dathlu bywydau Cymry cyffredin.
- ★ Agorwyd hi yn 1948.

C+A

CWESTIWN: Faint o adeiladau sydd wedi'u symud o wahanol rannau o Gymru i barc-dir Sain Ffagan?

ATEB: Dros 40.

Ffaith!

Roedd wrin dynol yn arfer cael ei ddefnyddio i olchi'r gwlân!

Amgueddfa Wlân Cymru

- ★ Mae'r amgueddfa yn hen ffatri wlân y Cambrian, yn Dre-fach Felindre, Sir Gaerfyrddin.

Amgueddfa Lechi Cymru

- ★ Mae'r amgueddfa yn hen Chwarel Lechi Dinorwig yn ymyl Llanberis.
- ★ Yr olwyn ddŵr, gyda 140 bwced i gario dŵr, yw'r fwyaf ym Mhrydain!
- ★ Yr inclein, ar gyfer cario'r llechi o'r chwarel i'r trên, yw'r unig un o'i bath sy'n dal i weithio ym Mhrydain heddiw.

Amgueddfa Genedlaethol y Glannau, Abertawe

- ★ Yno mae copi o drên stêm Richard Trevithick – y rheilffordd gyntaf yn y byd (1804).

Geirfa

atyniad: rhywbeth deniadol
wrin: pi-pi

www.amgueddfacymru.ac.uk

Gardd Fotaneg Genedlaethol Cymru

A wyddoch chi ...

www.gardenofwales.org.uk/cy

- Agorodd Gardd Fotaneg Genedlaethol Cymru ym mis Mai 2000 i ddathlu'r mileniwm newydd.
- Mae'r Ardd ar hen stad Middleton yn ardal Llanarthne, Sir Gaerfyrddin.
- Mae gwyddonwyr yr Ardd:
  - yn casglu planhigion Cymreig prin, er enghraifft cerddinen y Darren Fach, sy'n tyfu ar Fannau Brycheiniog ond ddim yn unman arall yn y byd
  - yn ceisio adnabod DNA planhigion Cymreig a rhoi côd bar ar bob un
- Mae cyfoeth o fywyd gwyllt amrywiol yma:
  - 100 math o bili-pala a gwyfyn
  - 56 math o aderyn, er enghraifft barcud coch
  - 180 math o gen
  - 92 math o fwsogl
  - 26 math o falwen
- Hefyd mae moch daear, pathewod a dyfrgwn yn byw yn yr Ardd.

Cadw

A wyddoch chi ...

www.cadw.wales.gov.uk

- Mae logo **Cadw** wedi'i seilio ar groes Geltaidd Caeriw yn Sir Benfro.
- Cadw sy'n gofalu am tua 130 o safleoedd hanesyddol yng Nghymru.
- Cafodd **Cadw** ei sefydlu yn 1984.
- Roedd tua 2,000,000 (dwy filiwn) o bobl wedi ymweld â safleoedd Cadw yn 2011-12.
- Y ddau safle mwyaf poblogaidd oedd:
  - Castell Caernarfon (195,000 o ymwelwyr)
  - Castell Conwy (173,000 o ymwelwyr)

Cadw

Llywodraeth Cymru
Welsh Government

Ffaith!

Mae tŵr yng Nghastell Caerffili yn gwyro mwy na Thŵr Pisa yn yr Eidal!

Castell Caernarfon

Castell Conwy

CWESTIWN: Ym mha gastell mae'r drws castell hynaf yn Ewrop?
ATEB: Castell Cas-gwent.

Geirfa

gwyro: pwyso i un ochr